Гороскоп Коза 2024

Alina A Rubi/Angeline A Rubi

Издается самостоятельно

Автор: Ангелина А. Руби и Алина А. Руби

E-mail: rubiediciones29@gmail.com

Редактирование: Анжелина А. Руби

rubiediciones29@gmail.com

Введение

Китайский календарь - древний и сложный, он никогда не был упрощен. Во многих культурах лунный календарь заменялся солнечным.

Китайский, исламский и еврейский календари управляются лунными фазами. Это сложная система, поскольку они управляются не только лунными циклами, но и включают в себя солнечный цикл, цикл Юпитера и Сатурна.

Китайцы считают, что универсальная энергия управляется балансом. Важнейшим элементом этого баланса является концепция Инь и Ян. Инь противоположна Ян и наоборот, но вместе они достигают полного равновесия. Эта энергия присутствует во всем сущем, как в материальном, так и в нематериальном.

Символ Инь/Ян разделен на две половины, одна из которых черная (Инь), а другая белая (Ян). Обе части соединены посередине эллипсом, который соединяет их вместе, образуя кривую. Их черный и белый цвета означают, что существует дуализм, и для того, чтобы существовало одно, необходимо, чтобы существовало и другое. Внутри Инь находится круг Ян, который символизирует, что тьма всегда требует света. Внутри Ян находится круг Инь, указывающий на то, что внутри света всегда найдется тьма.

Объединяющий их эллипс означает, что все течет, трансформируется и эволюционирует. При дисбалансе любой из этих двух энергий, Инь или Ян, наша жизнь не сбалансирована, поскольку вместе они усиливают друг друга. Мы никогда не должны думать, что одна энергия превосходит другую, они должны совпадать в равной степени.

К сожалению, в нашем обществе существует тенденция отдавать предпочтение энергии Ян, считая, что ее характеристики являются наиболее значимыми. Тем самым мы создаем разделение между духовным и материальным планом, поскольку, снижая значение энергии Инь, мы становимся менее рефлексивными, считая, что восприимчивость — это нечто негативное, так как подразумевает хрупкость.

То же самое происходит и с темнотой, мы не только избегаем ее, но и боимся ее. Обе энергии важны. Мы можем быть духовными существами только тогда, когда существует баланс между Инь и Ян, потому что вы не только светлые, но и темные. Ошибочно ценить и отдавать предпочтение сильному, или действию. Мы должны ценить женское начало и чувствительность, потому что только так мы можем достичь истинного равновесия нашего существа, с позиции любви и твердости.

В знаках китайского зодиака присутствуют энергии Инь и Ян, и именно они определяют характеристики каждого животного и связанные с ними стихии.

Июньская энергия связана с темным, холодным, женским началом, абстракцией, глубиной и Луной.

Июньские знаки вдумчивы, чувствительны и любопытны. Это Быки, Кролик, Змея, Коза, Петух и Свинья.

Энергия Ян связана со светом, теплом, поверхностностью, Солнцем и логическим мышлением. Это импульсивные и материалистичные знаки. К ним относятся: Крыса, Тигр, Дракон, Лошадь, Обезьяна и Собака.

Энергии Инь и Ян связаны со стихиями, которые, в свою очередь, будут вытекать из годов, в которые они происходят. Каждый элемент обладает энергией Инь и Ян.

- Годы, оканчивающиеся на цифру **0,** имеют элемент Металл и связаны с энергией Ян.

- Годы, оканчивающиеся на цифру **1,** имеют элемент Металл и связаны с энергией Инь.

- Годы, оканчивающиеся на цифру **2, относятся к** стихии Воды и связаны с энергией Ян.

- Годы, оканчивающиеся на цифру **3, относятся к** стихии Воды и связаны с энергией Инь.

- Годы, оканчивающиеся на цифру **4,** имеют элемент Дерево и связаны с энергией Ян.
-
- Годы, оканчивающиеся на цифру **5,** имеют элемент Дерево и связаны с энергией Инь.

- Годы, оканчивающиеся на цифру **6,** имеют стихию Огня и связаны с энергией Ян.

- Годы, оканчивающиеся на цифру **7,** имеют стихию Огня и связаны с энергией Инь.

- Годы, оканчивающиеся на цифру 8, имеют элемент Земли и связаны с энергией Ян.

- Годы, оканчивающиеся на цифру **9,** имеют элемент Земли и связаны с энергией Инь.

Общие предсказания на год Дракона

10 февраля 2024 года начинается сенсационный Год Зеленого Деревянного Дракона, а согласно китайской астрологии, зеленый цвет символизирует жизнь, перемены и рост.

Ассоциированная планета - Юпитер, планета очень благоприятная; мы будем пожинать плоды, посеянные в 2023 году.

Год Дракона в 2024 году принесет нам удачу, процветание, благополучие и прогресс. У нас будет много возможностей для роста и трансформации, но также и вызовов, и сложностей, что подчеркнет необходимость прощения, сочувствия и мирных решений.

В годы, когда стихией является дерево, жизнь вознаграждает людей общительных и профессиональных. Получение высшего образования или путешествие — вот некоторые из возможностей этого года.

У нас будет возможность развить свои лидерские качества, это год новых начинаний и создания структур, которые будут работать в долгосрочной перспективе.

Этот год Дракона благоприятен для перемен и роста, так как энергия деревянного дракона обладает способностью вдохновлять на новые идеи и возвышать наше воображение.

Нам предстоит прожить несколько этапов, которые будут полны трудностей, но именно в эти моменты мы должны использовать энергию дракона, чтобы добиться успеха и преодолеть трудности.

В течение года не забывайте, что дракон олицетворяет перемены и адаптивность - качества, которые помогут нам расти и обновляться.

2024 год будет насыщен возможностями для развития, мы переживем множество политических, экономических, реляционных и экологических конфликтов, подчеркивая, что мирные решения — это ответ на любую проблему.

Этот год будет стимулировать нас к новым делам и развитию предпринимательства, так как энергия Дракона, его качества смелости и амбициозности будут вдохновлять нас.

У нас разовьется множество адаптационных способностей, а терпение и настойчивость позволят преодолеть все невзгоды и двигаться к успеху.

Этот год также благоприятен для работы над своим духовным ростом, очень важно сохранять концентрацию на своих целях.

В целом, это будет год позитивных перемен и значительных достижений в нашей жизни, когда мы сможем найти любовь, укрепить отношения, добиться экономического и духовного процветания.

Происхождение китайского гороскопа

Китайский гороскоп - традиция, насчитывающая более 5000 лет, и основан на лунных годах.

По преданию, Будда призвал всех животных, однако на его зов явились только двенадцать, расположенные в следующем порядке: крыса, бык, тигр, кролик, дракон, змея, лошадь, коза, обезьяна, петух, собака и свинья.

Каждое животное получало в подарок год, образуя двенадцатилетний цикл, используемый в китайской астрологии. Таким образом, каждый знак имеет название животного, и каждому животному соответствует свой год.

Каждому животному также была присвоена одна из пяти стихий, соответствующих планетарным энергиям:

- вода (ртуть)
- металл (Венера)
- огонь (Марс)
- дерево (Юпитер)
- Земля (Сатурн)

Китайский гороскоп выражает аналогию космических энергий с каждым человеком. Поэтому энергия каждого человека представлена одним из двенадцати животных, образующих эту зодиакальную систему.

Каждое животное и соответствующая ему энергия определяются датой вашего рождения. Эти энергии определяют ваше поведение и восприятие мира. Для китайцев эти знаки символизируют наиболее яркие особенности нашего характера. Чтобы правильно понять значение животных, необходимо рассматривать их как духовные символы.

Китайский гороскоп не основан на солнечном цикле, на котором базируется западный гороскоп. Он основан на циклах Луны. Каждый лунный год имеет двенадцать новолуний, а каждые двенадцать лет - тринадцатое, поэтому новый год никогда не совпадает с датой предыдущего года.

Двенадцать животных китайского гороскопа влияют на жизнь, удачу и волю всех людей. Эти качества не проявляются открыто в повседневной жизни, но они всегда присутствуют, действуя в виде скрытых сил.

Китайский двенадцатилетний период связан с транзитом планеты Юпитер, и каждый китайский лунный год в западной астрологии практически соответствует продолжительности транзита Юпитера по знаку зодиака.

В западной астрологии Юпитер всегда находится в том знаке, который традиционно соответствует животному в китайском гороскопе.

Китайский элемент года 2024, Дерево

Элемент 2024 года - дерево. Дерево - творческий элемент. Если эта стихия соответствует вам по году рождения, то вам следует направить эту энергию в творческое русло.

Дерево символизирует сострадание и терпимость. Если вы хотите воспользоваться этими энергиями, важно в течение всего года окружать себя натуральными растениями, цветами и зелеными предметами.

Дерево - элемент, связанный со способностью проектировать и принимать решения, поэтому 2024 год будет годом развития, эволюции и расцвета.

Этот элемент связан с пищеварением, дыханием, сердцем и обменом веществ, а в традиционной китайской медицине он гарантирует непрерывный энергетический поток. Применительно к чувствам это означает правильное выражение наших эмоций.

В течение 2024 года дерево поможет нам обрести осознание и понимание объективной реальности. Оно принесет нам твердость и эмпатию в отношениях.

Дерево, связанное с нашей личностью, принесет нам необходимую дозу энтузиазма, решительности и динамизма, чтобы мы могли начать действовать и справиться со всеми трудностями этого года.

Дерево - элемент, необходимый нам в этом году для принятия необходимых решений, для перемен, которые крайне важны.

Благодаря этому элементу мы будем иметь правильные стратегии, способность организовывать и сохранять контроль над всеми процессами, но при этом сохранять гибкость.

Хотя это и элемент 2024 года, если у вас есть бизнес и вы хотите, чтобы он процветал и имел экономическое изобилие, вы должны учитывать и другие элементы.

В бизнесе **стихия Воды** является наиболее важной, так как она олицетворяет изобилие, богатство, власть и способность управлять, накапливать и сохранять свои деньги.

Вода не может застаиваться. Она не должна находиться в вазе, если воду не меняют каждый день, так как застой воды препятствует получению прибыли и отталкивает клиентов.

Чтобы деньги шли, вода должна течь. Если у вас есть бассейн, его нужно чистить, а если фонтан, то он должен выполнять цикл входа и выхода из него. В аквариуме она должна двигаться и насыщаться кислородом. В трубах она должна течь, хотя бы раз в день вы должны дать ей течь, открыв запорный кран.

В каждом бизнесе должна быть в движении стихия Воды, иначе он не будет накапливать товары и продвигаться вперед.

Даже если это всего лишь небольшой аквариум или емкость, в которой вода меняется каждый день.

Вода должна находиться у входа в бизнес или в северной или северо-западной зоне бизнеса, где хранятся деньги или осуществляется управление бизнесом.

Элемент Огня в бизнесе должен располагаться на юге помещения.

Она может находиться у входа, в конце или по бокам. Но если речь идет о пищевом бизнесе, то она может располагаться где угодно.

Огонь символизирует популярность и то изобилие, которое не накапливается, поэтому Вода должна использоваться на противоположной стороне от Огня, так как Огонь привлекает клиентуру, а Вода поддерживает экономический поток.

Элемент **Земли** является первозданным, так как это основа, на которой держится все.

Два украшенных сосуда с засушенными цветами или каменный постамент могут символизировать стихию Земли.

Земля должна присутствовать в конструкции, а также находиться в центре помещения или на юго-востоке, поскольку именно там она проявляет себя наилучшим образом. Земля дает безопасность, но должна сопровождаться Огнем на Юге и Водой на Севере.

Земля стабильна, поддается формовке и является отражением всей планеты.

Если вы хотите, чтобы бизнес просто выживал и заботился о земной стихии, этого достаточно.

Элемент Металл очень динамичен и активен, имеет множество возможностей в бизнесе. В прошлом в Китае Металл считался золотом.

Элемент Металл олицетворяет силу и власть, постоянство, безопасность и богатство,

Его позиция - Запад, и не забывайте, что Металл усиливает любую позицию входа и выхода из бизнеса, наряду с кристаллом.

Деревянный элемент является основой конструкции, несмотря на свою хрупкость.

Дерево следует размещать на востоке бизнеса, но желательно располагать его диаметрально по отношению к Металлу.

Металл - на западе, Дерево - на востоке, Огонь - на юге, Вода - на севере, Земля - в центре, чтобы ваш бизнес всегда был успешным.

Значение стихий в китайском гороскопе

Элемент Металл

Люди, родившиеся в годы, оканчивающиеся на 0 или 1 в китайском гороскопе, относятся к стихии металла. Металл, из которого делают щиты и мечи, - элемент, символизирующий твердость и честность, а также суровость.

Металл - элемент осени, сезона урожая и изобилия. Он двойственен, как и функции его стихии, поскольку в виде меча он ликвидирует, а в виде ложки - питает. Металл происходит из земли, в нем доминирует Огонь, и он преобразует дерево.

Личность этих людей, принадлежащих к стихии металла, имеет тенденцию к ярко выраженной амбивалентности. Лучше всего им работается в одиночестве, так как они ни перед кем не отчитываются.

Они решительны, сами вершат свою судьбу, упрямы, профессиональны и равнодушны к любым попыткам компромисса. Свобода для них превыше всего, и бесполезно пытаться давить на них, а тем более помогать им, потому что они никого не слушают и не приемлют вторжений и препятствий. Они полагаются только на себя и не позволяют никому произвести на себя впечатление, поскольку они сильны и способны совершать великие дела.

Для них не существует трудностей, которые могут их остановить, и даже если ситуация становится несостоятельной, они сопротивляются до конца. Они амбициозны и расчетливы, любят деньги, власть и успех, и не пожалеют средств для достижения своих целей, даже если это будет означать разрыв отношений.

Они предназначены для профессий, позволяющих проявить свою стихию: ювелиры, финансисты, страховщики любого рода, слесари, шахтеры, хирурги, а также для любого контекста, который позволяет им выделиться среди других. Они также могут преуспеть в профессиях, связанных с деревом или бумагой. Профессии, связанные с водой, принесут им пользу, профессии, связанные с землей, могут вызвать конфликты, а от профессий, связанных с огнем, следует держаться подальше.

Их не интересуют чувства, их не трогают трудности других людей, и они манипулируют ими, если могут получить преимущество. Страдают от этого именно люди стихии дерева, поскольку она манипулирует ими и подавляет их лобовой агрессией. Однако люди водной стихии, поскольку они восприимчивы, получают эффективный толчок, который приносит им огромную пользу. Единственные, кто действительно может их прогнуть, — это представители стихии Огня, так как они с заразительной эмоциональностью доминируют над их бесчувственностью и суровостью.

Физически представителя стихии металла можно узнать по грустному взгляду и анемичному цвету лица. Они хрупки, склонны к стрессам, на них могут влиять перепады температуры и неправильное питание. Поэтому им следует возбуждать аппетит, делая упор на острую пищу.

Наиболее благоприятное время года для них - осень, в этот период они могут максимально раскрыть свои потенциальные возможности, но это не значит, что нужно переусердствовать или упрямиться. Ему следует носить белую одежду, а в качестве амулетов использовать металлы и белый кварц.

Металл жесткий и непреклонный, не боится опасности. Это независимый тип личности, который, движимый жадностью, действует настойчиво, концентрируется на успехе, планирует наперед и не приемлет спонтанного.

Приняв однажды выбранный путь, он уже не меняет его. Несмотря на внешнюю невосприимчивость, люди этой стихии излучают магнетизм, который воспринимается всеми, с кем они общаются. Однако, чтобы воспользоваться своими способностями, они должны научиться быть менее догматичными, так как это мешает им в отношениях.

Люди, родившиеся под знаком металла, должны воспитывать себя, чтобы уметь выражать свои эмоции. Если они этого не сделают, то почувствуют, что их энергия уменьшилась.

Элемент Земли

Люди, родившиеся в годы, оканчивающиеся на цифры 8 или 9, относятся к стихии Земли. Этой стихии соответствуют такие характеристики, как стойкость, упорство и плодовитость. Хотя в китайской астрологии Земля не имеет собственного сезона, в календаре она связана с последними двумя-тремя неделями других сезонов.

Земля - стихия, олицетворяющая стабильность и осязаемость, но при избытке она превращает людей в осторожных, подозрительных и упрямых, ограничивая их инициативы и фантазии.

Человек стихии Земли терпелив и скромен, всегда работает с постоянством, не давая себе ни секунды на радость или расстройство. Он никогда не устает и, может быть, как жадным и материалистичным, так и наивным и осторожным. Самая несомненная его черта - подчеркнутое уныние. Он слишком серьезен, любит планировать и руководить, ужасно боится случайностей, и, хотя он умен и обладает исключительной памятью, ему мешает выглядеть блестяще.

Неутомимый рефлектор, амбициозный и тревожный, он подвержен, таким образом, перезарядке селезенки - органа, связанного с этой стихией и ослабленного при резкой психике человека.

Человек, принадлежащий к этой стихии, завязывает личные отношения постепенно, но прочно и надолго. Он очень предан и защитник в любви, всегда готов заключить договор и выполнять свои обязанности, и, хотя он не демонстративен в своих эмоциях, является плечом, на которое всегда можно рассчитывать, потому что он будет рядом в те моменты, когда вам это необходимо.

В работе они серьезны и уединены, но при этом организованны и надежны. Это именно те люди, которые ведут дела с моралью, строгостью и огнеупорной честностью. Рассудительность делает их непревзойденными посредниками в решении проблем, способствуя своим практичным и удобным выходам. Они подходят для профессий, требующих сноровки, но не предполагающих инициативы, а также для лидерских ситуаций.

Хотя ее нелегко переносить из-за капризности, ностальгии и неумения быть жизнерадостной, она хорошо взаимодействует с элементом металла, которому придает стабильность, и с водой, которую ей удается сдерживать и умело управлять. Обычно он конфликтует с элементом Дерева, который хотя и защищает его, но иногда и душит, а также с Огнем, который подгоняет его в той же мере, в какой и ослабляет.

Элемент земли связан с планетой Сатурн. Вы должны быть очень осторожны с потреблением сладостей, то есть того, что вы любите, поскольку это связано с вашей стихией. Им всегда следует выбирать натуральные сладости и ограничить употребление белого сахара, так как он разрушает кальций в костной системе. Другим слабым местом является пищеварительная система, которая обычно сильно наказывает его, поэтому ему следует придерживаться легкой и легкоусвояемой диеты. Рекомендуется стремиться к прямому контакту с Матерью-Землей, ходить босиком по песку или в поле.

Его счастливый цвет - желтый, а кварц - топаз и цитрин.

Земля олицетворяет богатство, разумность, материализм и безопасность. Эти люди склонны к интроспекции, что обусловливает их большую способность к рассуждениям. Земля - вместилище жизни, и это накладывает неизгладимый отпечаток на тех, кто родился под влиянием этой стихии, поскольку это стабильные люди, которым можно делегировать полномочия.

Земля питается огнем, вырабатывая огромную энергию, которая нагревает и плавит металл, подчиняет себе воду и поглощает дерево.

Чтобы чувствовать себя хорошо, человек стихии Земли нуждается в материальной обеспеченности, хотя следует отметить, что он трудолюбив, формален и организован.

Их можно упрекнуть в претенциозности, но по своим достоинствам они продвигаются к цели медленно, получая стабильные результаты.

Элемент огня

Люди, родившиеся в годы, оканчивающиеся на 6 или 7, соответствуют стихии огня. К этой стихии относятся страсть, смелость и лидерство. Стихия огня — это стихия летнего сезона, когда все плодоносит и достигает своего завершения. Она связана с планетой Марс, благотворной, но иногда импульсивной. Она чрезмерно стерильна и символизирует человека, который преуспевает, но при этом плохо обращается с другими. Бойкий, тщеславный, раздражительный, человек этой стихии переходит от гнева к безудержной радости.

С детства он обладает лидерскими качествами, в его жизни присутствует честолюбие, он любит опасности, смех, энтузиазм и конфликты.

Трудности не отталкивают его, а побуждают к действию, и в этих случаях с ним происходят бурные метаморфозы.

Эти люди рождены, чтобы побеждать, но не умеют этого признать, потому что не умеют наблюдать за собой и использовать свою энергию. Они великолепны в военной сфере, в спорте, в качестве начальников, так как остальные гибнут перед их харизмой. Они умеют использовать энергию стихии дерева, ставя ее гений себе на службу, и вызывают у людей стихии земли жизненную смелость двигаться вперед.
Люди водной стихии склонны гасить свою страсть, а люди металлической стихии подвергают ее испытанию жесткостью, истощающей их энергетическое поле.

Наиболее легко повреждаемым органом у этих людей является сердце, возможна тахикардия. Кроме того, они могут страдать от проблем с ушами и кишечником. Им следует носить одежду ярких цветов, среди которых преобладает красный, а также использовать в качестве амулетов такие кварцы, как гранат и гематит. Также следует использовать благовония и свечи.

Эти харизматичные, страстные и беспринципные люди хорошо общаются и нацелены на действие. Их эгоизм и стремление к успеху не поддаются исчислению, и они полагаются только на собственное мнение. Они склонны пренебрегать деталями, так как иногда проявляют упрямство и берутся за достижение целей, требующих напряженной работы.

Люди, рожденные под влиянием стихии огня, позитивны, всегда отдают все силы и с любовью и желанием берутся за любое дело. Их энергия служит для поддержания окружающих, которым ее не хватает.

Огонь обогревает жилище, он позволяет нам готовить пищу. Эта стихия питает землю через пепел, она питается сухим деревом, то есть древесиной, ее тепло доминирует над металлом, то есть делает его гибким, а доминировать над ним может только вода.

Лидер всегда обладает избытком стихии огня и склонен к быстрому принятию решений. Его привлекают нестандартные идеи, он не боится опасности и всегда находится в движении.

Важно научиться обладать эмоциональным интеллектом, потому что высокомерие может усилить ваш эгоизм и сделать вас неуправляемым, особенно когда вы сталкиваетесь с препятствиями.

Этот само разрушительный стиль проявляется в основном в юности.

Успех сопутствует людям огненной стихии, но им следует быть очень осторожными с нестабильностью и неугомонностью, которые являются самыми обычными неадекватными качествами рожденных под огнем.

Лучше овладеть этими недостатками, чтобы не быть порабощенным ими.

Им следует искать тихое место, где они могут побыть в покое, а медитация также принесет им равновесие.

Люди стихии огня упорны и прибыльны.

Элемент Дерево

Люди, родившиеся в годы, оканчивающиеся на цифры 4 или 5, относятся к стихии дерева. Дерево — это элемент, символизирующий гармонию, красоту и творчество. Они обладают очень высокой степенью уверенности в себе и железной волей, что делает их подходящими людьми для борьбы за правое дело.

Дерево связано с планетой Юпитер, это самая благотворная из стихий, символ постоянства и знания. Приспосабливаемое, оно удобно гнется и имеет множество применений, характеризуя общительных, уступчивых и честных людей.

Люди стихии дерева творческие и жизнелюбивые, но иногда они разбросаны и не могут найти свой путь и реализовать свои цели. Они доверяют окружающим до невинности, любят общаться со всеми подряд, постоянно открывая для себя что-то новое и удовлетворяя себя. Их привлекает природа и дети, они отдают предпочтение семье.
Иногда они склонны к неоправданным ожиданиям, имеют привычку принижать свое тело, чрезмерно налегать на еду, увлекаться страстью и чувственностью.
Они привыкли выбирать себе в партнеры представителей водной стихии, от которых черпают смелость и поддержку, и представителей огненной стихии, которых они выгодно снабжают своими блестящими идеями.
Он не очень хорошо уживается с металлическим элементом, который безжалостно его разрушает.

Элемент Дерево узнаваем по зеленоватому цвету. Этим людям следует беречь глаза.

Дерево используется для строительства убежищ, поэтому оно защищает нас. Дерево совпадает с творческим потенциалом воды, и благодаря этому качеству они понимают и помогают другим.

Рожденные под стихией дерева испытывают внутренние противоречия, заставляющие их подчиняться правилам и традициям, где постоянно действует суровое осуждение. Эта стихия питает воду и в то же время является топливом для огня. Ее энергию всасывает земля и подчиняет себе металл.

Люди стихии дерева всегда добиваются больших успехов, имеют желанную структуру. Их призвания многогранны. Они придают большое значение честности, стремятся найти постоянное место в жизни. Вера в успех и аналитические способности дают им возможность без колебаний решать самые сложные задачи. Обладая невероятной силой убеждения, они работают во многих областях, поскольку всегда стремятся к развитию и преобразованиям.

Природная воля помогает им двигаться вперед, они всегда находят поддержку и необходимый капитал, поскольку другие люди рассчитывают на их способность превращать идеи в богатство.

Его главное препятствие - доводить дело до крайности. Гнев и сдерживаемый гнев абсолютно негативно влияют на энергии этого элемента. Нахождение вблизи деревьев и прикосновение к ним уравновешивает стихию дерева.

На работе люди, принадлежащие к стихии дерева, отличаются организованностью, умом и находчивостью. В коммерческой деятельности они более плодотворны, когда работа носит командный характер и хорошо структурирована.

Ни одна сфера деятельности, связанная с их стихией, не является неблагоприятной, но та, что связана с огнем, может в той или иной степени повлиять на них, а та, что связана с металлом, разрушит их.

Элемент воды

Самый нечувствительный и генетический элемент, аффинный к зиме, долголетию и планете Меркурий, является управителем общения и глубоких привязанностей.

Человек водной стихии чувствителен, но герметичен. Он милосерден, сентиментален и раним, ненавидит критику и поэтому предпочитает действовать скрытно, чтобы защитить себя. Он сердечен, красноречив и в то же время благоразумен, умеет преодолевать неудачи без показухи, с помощью хитрости, проницательности и настойчивости. Таким образом, он достигает своих целей косвенно и молча, производя впечатление вниматсльного и попимающего человека.

Недостаток энергии - проблема для водного элемента, если он не научится уравновешивать свою беспомощность силой, которая приходит от размышлений и общения с самыми глубокими частями своего существа. Паника всегда является путеводной нитью его драматической жизни, часто прожитой в темноте из-за страха проявить себя и вступить в борьбу.

На профессиональном уровне их сдерживает конкуренция, однако они хорошо работают в чистых и защищенных местах, таких как школы, книжные магазины, редакции или любые места, где общение, устное или письменное, является основным механизмом, и в компании мирных коллег, соответствующих их личности, таких как, например, человек стихии дерева, с которым совпадает стремление к мудрости, или металла, от которого они получают решение. И наоборот, он не приспосабливается ни к представителям стихии огня, которых он гасит и отталкивает, ни к людям, принадлежащим к стихии земли, с которыми он чувствует себя ограниченным, обусловленным и затрудненным.

Черный цвет благоприятствует им, но использовать его следует умеренно, поскольку он, как правило, отпугивает их. То же самое происходит с темными кварцами, привлекающими удачу, такими как струя, оникс и турмалин. Чтобы наилучшим образом использовать свои качества, не впадая в крайности, и избежать рассеянности, человеку водной стихии следует начинать свои планы зимой.

В позитивные периоды любовных отношений представители этой стихии проявляют нежность, уравновешенность и осторожность - потенциалы, позволяющие им вести себя с необходимой проницательностью, чтобы устранять причины конфликтов, когда они возникают.

Они обладают невероятной способностью к рассуждениям, хотя их замкнутый, глубокий и пасмурный характер приводит к тому, что они склонны к меланхолии. Им также свойственны неуверенность в себе и дерзость. Творчество - одна из основных характеристик представителей этой стихии, а также адаптация, мягкость, милосердие и сочувствие. Без воды на земле не было бы живых существ, эта стихия чиста и кристальна, какими качествами обладают те, кто принадлежит к этой стихии.

Люди, принадлежащие к этой стихии, приветливы и прекрасно владеют собой. Они обладают оригинальной интуицией, которая позволяет им быстро завоевывать. Выносливость и ясность мышления дают им возможность предсказывать события.

Они могут воспринимать способности других людей, эффективно их использовать, но при этом они сдержанны и не позволяют окружающим заметить, что они их используют.

Злоупотребления натрием или алкалоидами, а также жизненные прототипы, отклоняющиеся от общепринятых структур, очень вредны для людей, рожденных под стихией воды. Соблюдение режима сна, спокойное психическое и эмоциональное состояние, контакт с водой восстанавливают их гармонию и оптимизируют энергетику.

Люди, принадлежащие к знаку водной стихии, могут иметь профессии, связанные с деревом и огнем, и быть успешными, иметь работу, связанную с их собственной стихией, и отказываться от карьеры, функций и работы, связанных с землей, так как земля подчиняет себе воду.

Совместимость и несовместимость

Они совместимы:

Крыса - Дракон - Обезьяна.

Они общаются друг с другом через свои личности, которые очень активны и дружелюбны. Все трое трудолюбивы, нетерпеливы, страстны и неугомонны, всегда имеют высокие устремления. Они полны идей, обладают выдержкой и смелостью, необходимыми для их реализации, всегда приходят к новаторским, неожиданным, удивительным и сильным решениям.

Тигр - Лошадь - Собака.

Их объединяет удовлетворение, которое они испытывают при взаимодействии. Их объединяет скромность, достоинство, честность и упрямый альтруизм. Проницательные, проницательные и коммуникабельные, но немного жестокие и строгие, они энергично борются с неравенством, насилием и беззаконием. Эти три знака никогда не продают свою совесть.

Бык - Змея - Петух.

Эти три знака объединяет формальность, разумность и серьезность, которой они добиваются в своей жизни. Энергичные, предприимчивые и неутомимые, негибкие в своих решениях, они любят все переосмыслить и спокойно спланировать, прежде чем брать на себя обязательства, о которых потом придется пожалеть. Их недостаток - холодность, поскольку разум для них должен преобладать над эмоциями.

Кролик - Коза - Свинья.

Три эмоциональных знака, которых объединяет творческий потенциал. Инстинктивные, восприимчивые, чувствительные и замкнутые, они легко приспосабливаются к среде обитания и, будучи хорошими добытчиками, не прочь зависеть от других. Их ежедневные аффирмации всегда содержат в себе слова: совершенство, союз и соответствие.

Примечание: Противоположные знаки - противоположные враги:

Крыса - Лошадь

Бык - Коза

Тигр - Обезьяна

Кролик - Петух

Дракон - собака

Змея - Свинья.

Коза

Характеристики

Козерог обладает меланхоличным характером, который проявляется, когда он действительно долгое время молча терпит какую-то нелюбовь. Он не жалуется, ему трудно выразить свои эмоции, и поэтому ему трудно понять, что его беспокоит. Поэтому он может неожиданно проявить это в преувеличенной форме. Близкие воспринимают предупреждающие знаки, когда их что-то обижает.

Она прекрасно работает, если на нее не давят, но под давлением она блокируется. Она чувствует себя неуверенно в работе, если ее не поощряют и не хвалят. Она не терпит лжи, но не любит и прямой правды. Оценивая ее работу, лучше начать с похвалы и продолжить конструктивным упреком.

Иногда они занимают руководящие посты. Когда это происходит, козе удается найти равновесие между своей подозрительностью и недоверием.

В любви они ласковы, сердечны и очень терпимы. Если ее правильно любить, она может быть самым замечательным партнером, потому что коза, когда она счастлива, проецирует это на других и делает жизнь окружающих более комфортной. Однако если ей что-то неприятно, она держит это в себе и, когда этого меньше всего ожидаешь, вступает в раздражающую ссору с партнером.

Козероги очень страстны. Они могут не понимать, когда они действительно этого хотят, а когда это просто прихоть. Козы очень восприимчивы к проявлениям привязанности и способны полюбить того, кто подарит им малейший намек на романтику.

Грустить и не справляться с эмоциями — это ее самая негативная сторона. Еще один ее недостаток

- чрезмерные траты, растрата денег, как будто они не принадлежат ей.

Коза сочувствует другим, не терпит критики, ее настроение переменчиво, она субъективна.

Коза обладает фантастической удачей, люди часто дарят ей деньги или оставляют наследство. Коза никогда не забывает ни о днях рождения, ни о других особых случаях, потому что она очень традиционна.

Неудачи настолько выводят ее из себя, что она не в силах их преодолеть.

Если говорить об эстетике, то Коза вас не обманет, поскольку у нее тонкий и элегантный вкус и особенности. Но не забывайте, что она также любит много тратить и не отличается практичностью. Если в качестве асцендента у Вас выступают такие знаки, как Дракон, Змея или Тигр, то Вам не рекомендуется заниматься работой, требующей чрезмерной ответственности.

Все гротескное ее не устраивает. Она настолько чувствительна к гармонии, что ее настроение зависит от окружающей обстановки. Коза лучше всего работает в воздушной и очаровательно украшенной обстановке. Она нуждается в поддержке энергичных и честных людей.

Лошадь, Свинья и Тигр обладают жизнерадостными чертами, которые улучшат темперамент Козы. Она также будет хорошо сочетаться с Кроликом, Обезьяной, Драконом, Петухом, Змеей, а также с другой Козой.

Козы

Металлический козел

Металлические Козы амбициозны, медлительны и уважительно относятся к своим ценностям. Они несколько упрямы и с трудом приспосабливаются к неожиданно подбрасываемым жизнью обстоятельствам. Однако иногда удача оказывается на их стороне, и они неожиданно выигрывают деньги в азартных играх или спекуляциях. Конечно, это делает их самоуверенными и рискованными, что приводит к потере денег, иногда в значительных размерах.

Они должны инвестировать в фондовый рынок или в недвижимость, поскольку это лучший способ защитить свои деньги в случае наступления трудных времен.

Эта Коза талантлива в бизнесе, она амбициозна и, если что-то получается не так, как она планировала, сразу ищет решение.

Обычно они считают ее высокомерной, но на самом деле это не так. Они знают, что ей нечего скрывать, и если она хочет показать что-то подлинное, то делает это без осложнений.

Это не те люди, которые бродят вокруг да около, они прямолинейны и, если их кто-то заинтересовал, они дадут ему об этом знать. В противном случае они будут отстраненными и сухими. Они прозрачны, когда речь идет об их эмоциях

Деревянная коза

Деревянные Козы дружелюбны и ласковы. Они способны оценить ситуацию с разных сторон и принять правильное решение. Когда они влюблены, то вкладывают много энергии, а когда говорят, то очень искренне и прямо, т. е. прозрачно.

Иногда они поддерживают поверхностные отношения, потому что боятся дать волю своим чувствам. Это происходит из-за отсутствия безопасности. Они сдержанны в личной жизни, но дружелюбны и веселы с другими людьми.

Они умеют решать чужие проблемы с мудростью, которой часто не хватает в личных делах. Они обаятельны, методичны, обучаемы и обладают очень логичным мышлением.

Они способны анализировать самые сложные обстоятельства. Однако иногда они настолько скрупулезны, что откладывают реализацию сложных идей. Они способны увидеть все стороны ситуации, поэтому им трудно прийти к твердым выводам.

Интерес к совершенству заставляет их добиваться высоких результатов. Они хороши в профессиях, связанных с числами. Логика - их лучший партнер.

Водяной козел

Водяные Козы обладают покладистым и добрым характером. Они восприимчивы к чувствам других людей и тактично реагируют на их страдания. Их любят окружающие, потому что они обладают отзывчивым, ласковым и сердечным характером, и они не представляют угрозы для тех, кто стремится занять властные позиции.

Они очень легко приспосабливаются к обстоятельствам и не любят проявлять инициативу в решении каких-либо проблем. Их больше волнуют проблемы других людей, чем свои собственные. Водяные Козы склонны жить скорее эмоционально, чем рационально, и скорее рефлексивно, чем ментально.

Им не нравится чувствовать себя уединенно, они не уважают условности. Но у них также нет достаточной энергии и мотивации для борьбы с установленной властью. Чаще всего они замыкаются в мире фантазий, в котором их потенциальные возможности могут дать им преимущества.

Они обладают большим художественным талантом. Они обычно жертвуют своим временем, чтобы оказать услугу нуждающемуся, и это делает их очень любимыми в своем окружении. Когда они влюбляются, то очень верны и отдают себя этому человеку, не задумываясь. Для них верна поговорка "пока смерть не разлучит нас".

Огненные козлы

Огненные Козы предприимчивы, им нравится начинать проект или быть частью новой идеи. Видеть, как проект развивается и достигает высокого уровня, - один из самых сильных стимулов, который может испытать эта Коза.

Ее лидерские качества позволяют ей собирать команды с высоким уровнем мотивации и согласованности с целями. Она очень смелая и агрессивная, отстаивает интересы всех, кто ее окружает. У нее нет предпочтений, независимо от того, друзья это или коллеги. Тот, кто осмелится причинить вред уважаемому или любимому ею человеку, никогда не останется невредимым.

Огненные Козы очень спокойно относятся к риску и прекрасно справляются с провокациями, они никогда не чувствуют угрозы и не сдаются в борьбе. Иногда их настойчивость не приносит положительных результатов, поскольку, когда у них есть инструменты для достижения успеха, их энергия истощается, и они теряют жизненную силу.

Некоторые из этих Коз не отличаются бережливостью и любят развлекаться и веселиться, что приводит их к большим финансовым вложениям, поскольку они покупают новую одежду каждый раз, когда устраивают светские рауты.

Земляная коза

Земляная Коза придает большое значение традициям и стабильности. Упрямство присуще им в равной степени. Они мастера разума, и им очень трудно воспринимать точку зрения, если она не совпадает с их собственной. Это очень требовательные люди, обладающие большой эмоциональной энергией.

Эта Коза также оптимистка, и ее стремление к успеху в сочетании с умением бороться позволяет ей проявлять большую волю, дисциплинированность и реализовывать свои самые преобразующие идеалы.

В любовной сфере эта Земляная Коза наделена несравненной способностью понимать других, проявляя сочувствие и солидарность с чужой болью. Их привлекают люди, с которыми трудно или которые требуют дополнительных усилий, чтобы их завоевать.

Иногда он чередует моменты скорости и медлительности. Иногда, будучи парализованным, он превращается в разрушительную силу.

Прогнозы 2024

Коза

Вы очень общительный человек, и 2024 год пройдет для Вас очень весело, в кругу семьи и лучших друзей, но Вы также будете переживать спокойные и тихие периоды, в которые Вы будете уединяться, чтобы побыть с самим собой.

Вы будете получать всевозможные приглашения, вступать в группы, необходимо научиться говорить "нет", а если вы хотите сократить расходы на дом, то сократите питание, вечеринки и ужины в ресторанах. Вот вам и спасение от больших денег.

В любви 2024 год будет сложным. Если вы состоите в паре, то ваши отношения будут склонны к нестабильности. Вы будете переживать хорошие и плохие месяцы. Вы слишком много времени уделяли своим проблемам, и ваш партнер мог почувствовать себя огорченным и покинутым. Вам следует прояснить эту ситуацию в очень искреннем разговоре. Чувства должны быть восстановлены. Еще не все потеряно, но ситуация будет сложной.

Если Вы одиноки, Вы будете очень привлекательны и магнетоны. У Вас могут быть нерегулярные партнеры, но настоящим счастьем для Вас будет найти свою вторую половинку. Сейчас не лучшее время для того, чтобы связывать себя обязательствами. Будьте осторожны с людьми, которые могут подойти к Вам из интереса.

На работе все будет несколько сложнее. Вы должны быть осмотрительны, чтобы избежать столкновений с начальством, не допускать конфликтов. Вам придется бороться за сохранение того, что вы уже получили. Если Вы ищете работу, то смотрите одновременно в нескольких местах, чтобы было удобно выбирать.

Если вы хотите иметь собственный бизнес, не доверяйте слепо своим партнерам, получите хорошую консультацию, проведите исследование рынка и проверьте все бумаги у юриста.

В 2024 году Вам следует быть более бережливым и осмотрительным, чтобы не обанкротиться. Не тратьте без необходимости, так как если экономическая нестабильность заставляет Вас так нервничать, то Вам следует избегать ее, поддаваясь панике.

В этом году вам будет везти в азартных играх, не забывайте играть, ведь удача может посетить вас.

Ваше здоровье будет немного ослаблено, но это будет связано со стрессом. Вы будете испытывать тревогу, и это отразится на Вашем здоровье. Из-за романтизации нервных состояний у Вас могут появиться боли в желудке. Лучше всего обратиться за помощью к психологу.

В 2024 году Вы будете очень вовлечены в домашние дела и семейные проблемы. Будьте обеспокоены, но не тревожьтесь. Научитесь смотреть на проблемы с перспективой, у всего есть решение, и вы справитесь с ним. Кроме того, у вас будут общие семейные проекты, поездки и мероприятия.

Сочетание знаков Зодиака с китайским гороскопом

Если объединить восточные и западные гороскопы, то поразительно, насколько они связаны и точны.

Китайский и западный гороскопы - наиболее часто используемые гороскопы. Если у Вас есть возможность глубоко разобраться в них, то это облегчит Вам их использование и централизованный подход.

Оба гороскопа основаны на положении звезд, но в китайском гороскопе используется 28 созвездий, а в западном - 88. Китайский гороскоп основан на 12 животных, которые управляют каждым годом, а западный - на 12 знаках, которые управляют каждым месяцем.

Китайский гороскоп основан на лунном календаре и является самым древним из известных на сегодняшний день гороскопов. Возможно, ваш знак зодиака совпадает с вашим знаком в китайском гороскопе, но это случается нечасто.

Если бы это было так, то предсказания были бы более точными.

Между знаками обоих гороскопов существует эквивалентность:

Овен/Дракон, Телец/Змея, Близнецы/Лошадь, Рак/Коза, Лев/Обезьяна, Дева/Петух, Весы/Собака, Скорпион/Свинья, Стрелец/Крыса, Козерог/Обезьяна, Водолей/Тигр и Рыбы/Кролик.

Комбинации

Коза

Овен/Коза

Этот человек силен и решителен. Он упрям, и его мало волнуют проблемы других людей. Он амбициозен и упорно стремится к успеху.

Люди этой комбинации всегда активны, что-то делают или чего-то ждут. Она очень добрая и отказывается верить в человеческую злобу.

Телец /Коза

Этих людей отличает позитивный настрой. Время от времени они отходят в сторону, чтобы спокойно обдумать важные проблемы. Они не выносят суеты, действуют взвешенно и обдуманно.

Они решают любой конфликт путем рассуждений, чтобы избежать бесполезных потерь. Они не тратят деньги, не подумав, и обладают очень развитым интеллектом и интуицией.

Близнецы/Коза

Эти люди приветливы и очаровывают окружающих своей неутомимой жизнерадостностью. Они предпочитают семейную атмосферу, отстраненность от суеты и не любят сплетников.

Им можно доверять, потому что они честные люди, не умеют лгать и обманывать. Они умны и стараются добиться успеха в любом деле. Они не склонны к транжирству, но помогают своим близким материально и советом.

Рак/Коза

Это добрый, уступчивый человек. Он всегда избегает конфликтов и очень умело скрывает свое недовольство. Он раним, но очень осторожен, несмотря на свою душевную слабость.

Он тщательно оберегает свое личное пространство, его дом — это его святилище, где он укрывается, когда попадает в беду. Он известен своим умением отвечать искренне, но доброжелательно.

Лев / Коза

Эти люди любят быть в центре внимания, достойны восхищения и обладают мудростью.

Когда они работают, то всегда стремятся к достижению высокой цели. Мудрость и проницательность помогают им избегать ошибок, а в экстренных ситуациях они способны прибегнуть к очень мудрым стратегиям. Они любят роскошь и умеют жить элегантно.

Дева/Коза

Это очень здравомыслящий человек. Он обладает способностью логически мыслить и прагматичен в делах.

Они рациональны, но могут быть капризны и неуравновешенны. Они любят комментировать и давать советы, обладают врожденным талантом видеть любой недостаток, поэтому детально контролируют свои действия и действия своих коллег. Окружающие восхищаются их усилиями и относятся к ним с уважением. Врагов у этих людей, как правило, нет.

Весы/Коза

Эти люди очень общительны и добры к окружающим. У них много скрытых талантов, но они склонны к искусству. Они любят роскошь и сопровождение элегантных людей. Они всеми силами стараются сохранять разумное равновесие и не впадать в низость. Обладают способностью переносить свою ответственность на других. Они легко адаптируются к переменам и позитивно воспринимают любые преобразования.

Скорпион/Коза

Эти люди обладают необыкновенной интуицией, они легко различают лживых людей, и солгать им буквально невозможно. Это преданные люди,

Они не злопамятны, стараются храбриться и, но одновременно сомневаются и терзаются своей несостоятельностью. Так бережно хранят свои тайны, чтобы никто не смог проникнуть в глубины их души.

Стрелец/Коза

Это человек, который всегда в курсе последних событий. Он проницателен и стремится ко всему новому. Он обладает нестандартным мышлением и порой удивляет окружающих своими непредвиденными поступками.

Они ловко обходят препятствия, всегда имеют наготове "план Б", потому что их проницательный ум помогает им в сложных ситуациях. Они не любят возлагать на себя лишние обязательства, а иногда бывают хорошими советчиками.

Козерог /Коза

Для этих людей настойчивость - синоним упорства. Они ничего не боятся и никогда не сдаются, даже если дело принимает серьезный оборот. Эти люди вряд ли сдадутся, они все планируют и просчитывают до мелочей.

Они никогда не обижаются на критику и умеют подладиться к человеку с плохим характером. Они отстаивают правду до последнего, даже если она противоречит их интересам.

Водолей / Коза

Эти люди абсолютно сосредоточены на своих чувствах, они честны, разговорчивы, умеют донести свое мнение до каждого.

Это эмоциональный человек, который очень легко воспринимает красоту. В его планы никогда не входило впускать посторонних в свою личную жизнь, потому что ему гораздо удобнее поддерживать хорошие отношения и не привязываться ко всем подряд. Он любит делиться с близкими. Он разумно планирует свой общий бюджет, не жадничает и не тратит деньги на ерунду.

Рыбы / Коза

Люди с таким сочетанием обладают спокойным характером. Они ценят комфорт, любят свой дом, очень привязаны к членам своей семьи. Иногда они идеализируют своих друзей, ждут от них понимания и помощи в трудную минуту. Они не терпят лжи и предательства. Обладают подчеркнутым чувством справедливости и строго не приемлют жестокости. Они успешно сочетают бизнес и удовольствия.

Декорирование дома в соответствии с Фэн-Шуй

Фэн-шу — это китайская философия, изучающая окружающую среду, основанная на теории июнь и я и пяти стихий.

Специалисты показали, что в древнем Китае регулярно выбирались территории, окруженные горами и имеющие реку.

Но не потому, что эти зоны обеспечивали главные критерии выживания, а потому, что они соответствовали закономерностям, установленным Фэн-шуй.

Основная идея фэн-шуй - достижение баланса между человеком и Вселенной. Если есть хорошие энергии, то есть и баланс, поскольку Фэн-Шуй влияет на судьбу каждого человека.

Изучая Фэн-шуй, человек может работать над своей совместимостью с природой, окружающей средой и своей жизнью, чтобы достичь большего процветания и здоровья в жизни.

Теория пяти элементов

Теория пяти элементов является одним из компонентов Фэн-Шуй. Эти элементы играют важную роль в определении правильного Фэн-Шуй в конкретном помещении. К этим элементам относятся: Огонь, Земля, Металл, Вода и Дерево, и каждый из них имеет свою специфику, символизирующую определенные аспекты жизни.

Пять элементов — это выражение, используемое в фэн-шуй для объяснения структуры природы. Эти элементы действуют совместно и должны быть всегда сбалансированы.

Фэн-шуй для двенадцати знаков китайского гороскопа

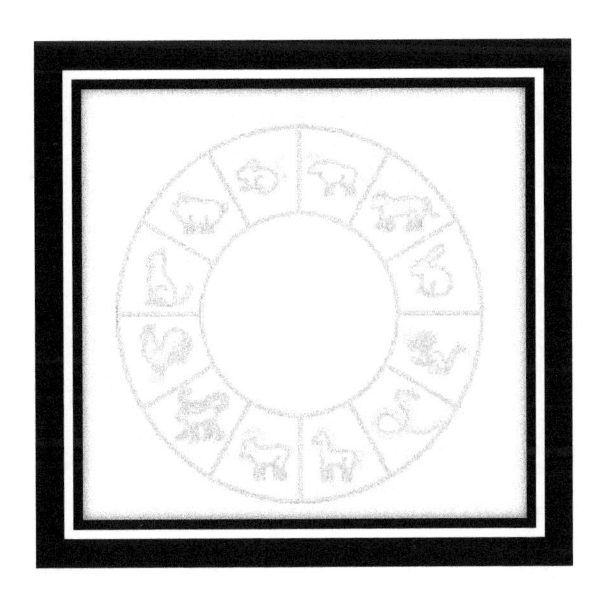

Знак Крысы

Вода благоприятствует людям, родившимся под знаком Крысы, она помогает им обрести процветание. Чтобы добиться изобилия, им следует поставить аквариум с золотыми рыбками в северной части офиса.

Знак Быка

Люди этого знака достигнут процветания, если будут использовать стихию Огня. Для этого им следует разместить фарфоровые или керамические изделия на своих предприятиях или в офисах, а также в своих домах.

Знак Тигра

Стихия земли — это то, что следует использовать людям, принадлежащим к знаку Тигра. Им следует добавить что-то соответствующее, символизирующее стихию земли. Горшечное растение или естественно растущий цветок могут принести в их жизнь процветание.

Знак Кролика

Для удачи и привлечения изобилия людям знака Кролика необходим тайный элемент земли в их жизни. Для этого следует спрятать нефрит или цитрусовый кварц в северо-восточной части дома или офиса.

Знак дракона

Северо-Запад отлично подходит для тех, кто родился под знаком Дракона. В этом направлении им следует поставить чашу с чистой водой, смешанной с небольшим количеством земли. Другой вариант - поместить в чашу цветок лотоса.

Знак Змеи

Процветание придет в жизнь людей, принадлежащих к знаку Змеи, если они будут использовать в своем доме или офисе металлические предметы, в частности золото и серебро.

Знак Лошади

Северо-запад - рекомендуемое положение для людей знака Лошади, чтобы получить большой капитал. Им следует поместить металлическую лягушку на северо-западе своего дома или предприятия.

Знак Козы

Север - соответствующая кардинальная точка для людей, родившихся под знаком Козы. Им следует поместить небольшую деревянную шкатулку или другой деревянный предмет на севере своего офиса или дома.

Если используется деревянная коробка, то в нее нужно положить предмет, связанный с их профессией. Например, писатель может положить в коробку карандаш.

Знак обезьяны

Для того чтобы в жизнь людей, родившихся под знаком Обезьяны, пришло благополучие, им следует поставить растение своего размера или больше в этой кардинальной точке на западной стороне дома или предприятия.

Знак петуха

Удача придет в жизнь тех, кто принадлежит к знаку Петуха, если они положат несколько семян в стакан, бутылку или чашу темно-красного цвета. При этом не следует использовать металл.

Знак "Собака

Людям, принадлежащим к знаку Собаки, следует отказаться от элементов Воды и Земли в своей жизни. Они могут поставить в своем офисе или доме поленья или ветки растений, но нельзя ставить их в Воду или Землю.

Знак Свиньи

Людям, родившимся под знаком Свиньи, для привлечения удачи необходим элемент Огня в их жизни. Они могут поставить в своем доме керамический поднос или другие предметы из глины.

Фэн-шуй 2024

В этот год Дракона следует носить браслеты или браслеты из жемчуга.

Амулет с фигуркой Дракона или куранты с кристаллами "Фэн-шуй удачи" следует поместить на юго-востоке дома или в семейной зоне спальни, кабинета.

Не забудьте украсить свой дом зелеными растениями, натуральными цветами различных расцветок, фотографиями, картинами или изображениями, характеризующими пейзажи и сады.

Также следует использовать деревянные украшения и не размещать фотографии умерших членов семьи рядом с текущими семейными фотографиями, так как вибрации этих фотографий несут боль и отнимают у вас энергию.

На самом деле китайский Новый год имеет множество традиций, связанных с прощанием со старым и подготовкой к новому. Одна из традиций, которую мы рекомендуем соблюдать, - не готовить на домашней кухне в первый день китайского Нового года по лунному календарю, так как доставать острые инструменты, например ножи, привлекает дурную примету. Это может лишить удачи на весь оставшийся год.

Первые 15 дней празднуется китайский Новый год, и, хотя иногда на это действительно не хватает времени, желательно провести подготовку заранее.

Если вы успеете подготовиться заранее, это поможет вам привлечь благополучие. В этом году за два дня до наступления китайского Нового года, т. е. в четверг, 8 февраля 2024 года, начните делать глубокую уборку в своем доме. Не забывайте, что уборка в первый день Нового года считается плохой приметой, так как вы выметете всю свою удачу через парадную дверь.

В ночь перед китайским Новым годом, в пятницу, 9 февраля 2024 года, спланируйте и запишите все свои цели на год, если вы не сделали этого 1 января.

Запишите абсолютно все свои желания после Новолуния в пятницу 02.09.2024 в 5:58 вечера по восточному времени. Какие цели Вы хотите достичь в своей профессиональной деятельности, в сфере финансов, в любовной и семейной жизни? Составьте список для каждой сферы вашей жизни, которую вы хотите улучшить.

Если у вас есть возможность приобрести деревянный сундучок, то это будет идеальным вариантом, так как в него можно положить список желаний вместе с пиритовым кварцем и цитрином, известными как камни, привлекающие процветание и изобилие. В сундучок следует положить три китайские монеты, поскольку они являются традиционными символами изобилия.

Все, что вы положите в этот сундучок, будет защищать ваши желания и усиливать энергию процветания. Хранить сундучок следует в специальном безопасном месте, лучше всего на возвышенности, так как в этом случае вы сможете притягивать положительные энергии, находясь на видном месте.

Не забудьте надеть новую одежду, потому что она символизирует новые энергии, которые вы хотите привлечь в свою жизнь. Вам следует надеть какие-нибудь детали красного цвета.

В частности, в Новый год постарайтесь не расстраиваться, по возможности возьмите выходной, чтобы не волноваться из-за пробок и забот. Не забудьте зайти на рынок и купить пакет апельсинов, так как это символизирует приход благополучия в ваш дом в новом году.

Советы на 2024 год

Этот год благоприятен для личностного роста, поэтому следует использовать открывающиеся возможности и не только развивать свои навыки, но и осваивать новые.

Все, что вы делаете в 2024 году, — это инвестиции в ваше будущее. Это будет очень напряженный год, но его энергия обнадеживает, поскольку год Дракона предоставит вам возможности, необходимые для достижения успеха. Однако для того, чтобы получить выгоду, необходимо изучить все имеющиеся варианты и проанализировать все возможности.

Вы должны быть внимательны и готовы выслушать все советы и помощь. При наличии силы воли и инициативы перед вами откроются новые двери.

В этот год Дракона вам предстоит многому научиться, но если вы примете вызов, то сможете не только продвинуться в своей профессии и увеличить доход, но и приобрести ценный опыт.

В год Дракона вы не только получите большую финансовую выгоду, но и, благодаря своей предприимчивости, найдете хобби, которое принесет вам благополучие.

Однако необходимо соблюдать дисциплину в расходовании средств и тщательно составлять бюджет, особенно если речь идет об очень крупных сделках.

Если в течение года вам придется подписывать контракты или заключать важные соглашения, необходимо проверить условия и все последствия.

Чтобы добиться наилучших результатов, необходимо вести сбалансированный образ жизни, заниматься спортом, соблюдать режим сна и правильно питаться. Вам будет полезно завести новых друзей. В год Дракона жизнь может вести себя загадочно и притягивать удачные события, которые откроют перед вами множество возможностей.

Шанс играет важную роль в Вашей жизни в этом году, трансформируя Ваше экономическое положение. После мая будет наблюдаться повышенная социальная активность, и Вы сможете получить массу удовольствия. Это будет плодотворный год, в котором нужно будет принимать решения, совершать покупки и получать удовольствие.

Те, у кого есть партнер, обнаруживают, что, объединившись, они достигают большего успеха.

Это год, в котором способность воспринимать возможности принесет много пользы, Год Дракона обладает большим потенциалом, поэтому будьте открыты для возможностей и готовы к переменам и адаптации.

Год Дракона вознаградит предпринимателей.

Вечером того же дня, перед началом года, следует сделать уборку в доме, открыть все окна для проветривания и расставить белые и желтые цветы во всех местах общего пользования. В частности, у входа в дом следует разместить благовония корицы, сандала, эвкалипта или лаванды, либо благовония Пало Санто, Белого Шалфея или Ванили.

Необходимо хорошо окурить дом. Сахара — это действие по созданию дыма, как правило, с помощью благовоний, для ароматизации окружающей среды и использования его в качестве инструмента для очищения и уборки.

Их особенность заключается в том, что они источают приятный аромат, который, как считается, обладает расслабляющими свойствами. Многие используют сахумерио с целью изменения энергетических вибраций своего дома.

Если у вас есть благовония, которые вы собираетесь передавать по всему дому, не забывайте делать круговые движения вправо. Если вы намерены очистить личный участок, то начинать следует с собственного тела, начиная с ног и заканчивая головой, а затем возвращаться к сердцу, делая при этом легкие круговые движения.

Поскольку это год Кролика, желательно иметь в доме пару металлических или деревянных кроликов, а если есть возможность, то и стеклянных, так как они олицетворяют стихию года - воду.

Если у Вас нет такой возможности, то Вы можете символизировать его с помощью изображений, портретов или фигурок. Считайте, что это счастливый талисман, ведь в итоге кролик стремится к процветанию. Он принесет в ваш дом большое богатство.

Еще одна рекомендация для 2024 года - покрасить некоторые стены в своем доме в небесно-голубой цвет.

Этот цвет является одним из цветов процветания в новом году. Будьте осторожны с наполнением дома синим цветом, не забывайте, что главное — это баланс. Если вы переборщите с синим цветом, то привлечете к себе уныние или апатию.

Альтернатива или вариант - носить его с собой, в виде браслета, сережек-подвески, маятника, шпалы, на кольце, брелоке или талисманом в кармане или сумочке.

Если у вас есть и кролик, и вода, то это образует ассоциацию богатства, укрытия и удачи в вашей жизни, доме или офисе. Всегда помните, что всему сопутствуют постоянство и усилия.

Если вы сможете приобрести несколько растений, таких как базилик, который обладает большой способностью генерировать изобилие, а также способностью уходить и транс мутировать плохие вибрации, то вы не пожалеете об этом.

Жасмин - еще один хороший вариант: в вашем доме всегда будет царить аромат и хорошие вибрации.

Свежий жасмин должен быть в вашем доме всегда, когда у вас есть такая возможность, но самое главное, чтобы в первый день китайского года он был в каждом уголке вашего дома.

Ритуалы начала китайского Нового года 2024

Китайский Новый год следует встречать с радостью, музыкой и великолепным семейным обедом. Это время для празднования и сосредоточения внимания на удаче и процветании в наступающем году.

Вы должны надеть новую одежду, потому что это символизирует новое начало.

Для этого дня хорошо подходит резонансный цвет, например красный, который обычно символизирует гармонию, удачу и благополучие.

В ожидании Нового года избегайте носить белое или черное, так как именно эти цвета обычно надевают на похороны.

Проведение очищения для подготовки к китайскому Новому году в виде ритуала очень полезно.

Такая уборка призвана отогнать злых духов, которые могут прятаться в углах дома.

Обычно люди меняют мебель или переставляют ее, подкрашивают краску в доме, ремонтируют поврежденные участки, моют окна большим количеством воды.

Ритуалы энергетического очищения

Вечером того же дня, перед началом нового года, следует сделать уборку в доме, открыть все окна для проветривания и расставить белые и красные цветы во всех местах общего пользования.

Конкретно у входа следует разместить благовония из корицы, сандала, эвкалипта или лаванды, а также сжечь лавровые листья. Лавр - растение, обладающее способностью защищать, очищать и исцелять. Еще один способ привлечь в дом положительные энергии - сочетание корицы с лавровыми листьями. Сожгите лавровые листья и посыпьте их порошком корицы. Когда эта смесь будет зажжена, распустите дым по всем комнатам дома.

Необходимо хорошо окурить дом. Сахара — это действие по созданию дыма, как правило, с помощью благовоний, для ароматизации окружающей среды и использования его в качестве инструмента для очищения и уборки.

Их особенность заключается в том, что они издают приятный аромат, который, как утверждается, обладает расслабляющими свойствами.

Многие люди используют благовония для изменения энергетических вибраций своего дома.

Если у вас есть благовоние, которое вы собираетесь передавать по дому, не забывайте делать круговые движения вправо.

Если вы намерены очистить личный участок, то начинать следует с собственного тела, начиная с ног и заканчивая головой, а затем возвращаться к сердцу, делая все время легкие круги.

Поскольку это год Зеленого Деревянного Дракона, желательно иметь в своем доме пару деревянных драконов. Если у вас нет такой возможности, вы можете символизировать ее с помощью изображений, портретов или фигурок.

Еще одна рекомендация для 2024 года - покрасить некоторые стены своего дома в зеленый цвет.

Этот цвет символизирует процветание в текущем году. Не перенасыщайте свой дом зеленым цветом, помните о необходимости соблюдать баланс. Если вы переборщите с зеленым цветом, то привлечете в свою жизнь стресс.

Альтернатива или вариант - носить его с собой, в виде браслета, серег-подвески, маятника, шпалы, на кольце, брелоке или талисмана в кармане или сумочке, это сформирует ассоциацию богатства, укрытия и удачи в вашей жизни, доме или офисе.

Если вы сможете приобрести некоторые растения, такие как лаванда, рута или денежное растение, которые обладают способностью генерировать изобилие, а также способностью уходить и транс мутировать плохие вибрации, то вы не пожалеете об этом.

Поскольку вода - элемент, дополняющий дерево, фонтан у входа в дом будет привлекать благополучие. Не забывайте, что вода должна течь внутрь.

Размещение фонтана в зоне богатства вашего дома, расположенного с левой стороны, сзади, если смотреть от входной двери, принесет вам много материальных выгод.

Наряду с зеленым, красный цвет является счастливым для 2024 года, его следует использовать в своем доме, чтобы активизировать энергию удачи. Вы можете носить красный цвет на одежде или с каким-либо другим предметом, например шарфом, шапкой или браслетом, чтобы привлечь деньги.

Китайский Новый год следует встречать с радостью, музыкой и великолепным семейным обедом. Это время для празднования и сосредоточения на удаче и процветании в наступающем году. Следует надеть новую одежду, поскольку она символизирует новое начало.

Для этого дня хорошо подходит резонансный цвет, например красный, который обычно символизирует гармонию, удачу и благополучие.

В ожидании Нового года избегайте носить белое или черное, так как именно эти цвета обычно надевают на похороны.

Проведение уборки для подготовки к китайскому Новому году в виде ритуала очень полезно. Такая уборка призвана отогнать злых духов, которые могут прятаться в углах дома.

Обычно люди меняют мебель или переставляют ее, подкрашивают краску в доме, ремонтируют поврежденные участки, моют окна большим количеством воды.

Об авторе

Помимо астрологических знаний, Алина Руби обладает богатым профессиональным образованием, имеет сертификаты по психологии, гипнозу, Рейки, биоэнергетическому целительству кристаллами, ангельскому целительству, толкованию снов, является духовным инструктором. Она владеет знаниями в области геммологи, с помощью которых программирует камни или минералы и превращает их в мощные амулеты или талисманы защиты.

Руби обладает практическим характером, ориентированным на результат, что позволило ей иметь особое, интегративное видение нескольких миров, способствующее решению конкретных проблем. Алина пишет ежемесячные гороскопы для сайта Американской ассоциации астрологов, их можно прочитать на сайте www.astrologers.com. В настоящее время она ведет еженедельную колонку в газете El Nuevo Herald на духовные темы, которая выходит каждую пятницу в цифровом виде и по понедельникам в печатном. Также ведет программу и еженедельный Гороскоп на YouTube-канале этой газеты. Ее астрологический ежегодник ежегодно публикуется в газете "Diario las Américas" под рубрикой Rubi Astrologa.

Руби написал несколько статей по астрологии для ежемесячного издания "Астролог сегодня", вел занятия по астрологии, Таро, чтению ладоней, исцелению кристаллами, эзотерике. Ведет еженедельные видеосюжеты на астрологические темы на YouTube-канале "Нового Вестника". Ведет собственную астрологическую программу на телеканале Flamingo T.V., дает интервью нескольким теле- и радиопрограммам, ежегодно публикует "Астрологический ежегодник" с гороскопом по знакам и другими интересными мистическими темами.

Она является автором книг "Рис и бобы для души", часть I, II и III, сборника эзотерических статей, изданных на английском и испанском языках,

"Деньги для всех карманов", "Любовь для всех сердец", "Здоровье для всех тел", "Астрологический ежегодник 2021", "Гороскоп 2022", "Ритуалы и заклинания для успеха в 2022 году "Заклинания и секреты", "Астрологические классы", "Ритуалы и чары 2024" и "Китайский гороскоп 2024" - все на семи языках.

У нее есть свой канал на YouTube, посвященный психологии, эзотерике и астрологии, где можно посмотреть видео о родственных душах, реинкарнации, языке тела, астральных путешествиях, сглазе, заклинаниях и многом другом.

Руби прекрасно владеет английским и испанским языками, сочетая в своих выступлениях все свои таланты и знания. В настоящее время она проживает в Майами, штат Флорида.

Более подробную информацию можно получить на сайте www.esoterismomagia.com.

Ангелина А. Руби - дочь Алины Руби. С детства интересовалась всеми эзотерическими предметами, с четырех лет занималась астрологией и каббалой. Владеет Таро, Рейки и геммологи ей. Она является не только автором, но и редактором всех книг, изданных ею и ее матерью.

За дополнительной информацией обращайтесь к ней по электронной почте: rubiediciones29@gmail.com.